Quand grand-mère était jeune

l Humphrey – Denis-Paul Mawet

Illustrations de
Katy Sleight

Éditions Gamma Jeunesse

4

5

Es-tu très vieille, mamie?

6

Oui, mais moi
aussi j'ai été
jeune.

7

8

On s'habillait comme ceci.

9

10

Les rues étaient
comme celle-ci.

Et à quoi ressemblaient les voitures?

Les voitures ressemblaient
aussi à celle-ci.

95-6694
1206694

14

Eux aussi étaient
comme ceux-ci.

15

16

Les jouets ressemblaient
à ceux-ci.

17

J'écoutais la radio que
l'on appelait alors la T.S.F.

19

Et puis, j'allais danser.

21

Je roulais aussi à bicyclette.

Tu as fait de la bicyclette?

23

J'aimais aussi
aller à la plage.

*Tu y allais
souvent?*

25

Ça c'est vrai.

27

Ma grand-mère venait m'embrasser dans mon lit. Comme ceci.

29

Parmi ces objets, lesquels appartiennent à l'époque de ta grand-mère, et quels sont ceux d'aujourd'hui?